texte:
RICHARD PAQUET

texte technique:
BERNARD & LOUISE CHAUDRON

photo:
BERNARD DUBOIS

conception graphique:
MARC LINCOURT

composition et montage:
MARCEL FORGET ARTS GRAPHIQUES INC.

© 1980 Société d'édition et de presse Messier & Perron Inc.

Bibliothèque nationale du Québec
Bibliothèque nationale du Canada
ISBN — 2-89167-003-5

L'artisan et son Oeuvre

BERNARD
CHAUDRON
LES MÉTAUX

AAP

NOTE LIMINAIRE

La collection l'Artisan et son œuvre compte désormais dans ses rangs un pionnier dans le domaine des métiers d'art au Québec, Bernard Chaudron.

Par sa science incontestée du travail du métal, alliée à un profond sens pratique ainsi qu'à un infatigable esprit de dévouement, Bernard Chaudron a su créer un effet d'entraînement dans le développement des métiers d'art et d'artisanat.

Ayant remporté de nombreux prix dans le domaine de la fonderie d'art, Bernard Chaudron possède ses lettres de noblesse et ses produits jouissent d'une grande renommée, tant au Québec et au Canada qu'à l'étranger.

Tout au long de cet ouvrage, le lecteur pourra admirer des œuvres d'une grande beauté et d'une incontestable qualité, tant au niveau des formes qu'à celui de la recherche esthétique.

Bernard Chaudron a su utiliser des matériaux accessibles à tous, en en reprenant les techniques les plus anciennes d'exploitation pour les faire revivre dans notre civilisation moderne.

FRANÇOIS DESJARDINS, M.A. (Éd. A.)
Conseiller en industries culturelles

L'ARTISAN

... en même temps qu'il
conçoit et réalise des
bijoux ou des vases
d'étain, Bernard Chaudron
s'adonne à l'élevage des
lapins, des cailles, des
faisans et... des poules.

« ... s'étonner devant le
labeur patient et
le bonheur des pièces
signées Chaudron... »
Paul Gladu,
critique d'art, 1965

BERNARD CHAUDRON

Un temps pour travailler

Si l'on avait à décrire Bernard Chaudron en trois mots, l'homme pourrait se résumer ainsi: indépendance, harmonie et travail constant.

L'indépendance d'abord, et l'on pourrait tout aussi bien dire liberté. Liberté de choix, d'expression au sens profond, c'est-à-dire à travers les multiples réalisations, les créations innombrables de l'artisan.

L'harmonie occupe également une place de tout premier plan dans la vie de Bernard Chaudron. L'harmonie avec soi, avec les autres, avec les membres de l'atelier, dans le cadre familial, bref avec tous ceux qui l'entourent, avec la nature, avec la vie en général et avec le métier aussi, bien sûr.

Le travail enfin. La constance, la régularité, l'acharnement presque dans le travail. Non pas le travail répétitif, aliénant et stérile, mais le travail envisagé plutôt du point de vue de la conception, de la création, le travail ennemi de toute routine, quelle qu'elle soit... Le travail dans la recherche de nouvelles techniques, de nouvelles formes, de nouveaux moyens de soumettre, d'asservir le métal, de le façonner, de le modeler, de le transformer sans cesse au gré de sa fantaisie créatrice.

Bernard Chaudron n'est pas de ceux qui attendent que l'inspiration les chatouille ou que le sort daigne les choisir. Il connaît les rouages du monde où il vit et n'a rien de cette passivité ignorante de certains, toujours dépendants dans leur propre défense.

Ne rien prendre au sérieux (lisez: au tragique), et faire le moins possible de concessions.

Car s'il peut rêver parfois de tout son temps donné aux seules œuvres de création, il n'ignore pas pour autant que l'artiste n'assure son indépendance que par la vente de ses œuvres. Il produit donc des objets à vocation à la fois décorative et utilitaire. Des objets auxquels il apporte le souci de l'objet beau, attrayant, le souci de cette perfection dans le détail qui fait toute la différence. Des pièces à *la limite du goût des gens.*

Quant au rêve, comme tant de créateurs, il ne l'abandonne pas tout à fait.

Ne penser qu'à des pièces uniques, œuvrer uniquement pour la satisfaction personnelle, pour le plaisir...

Il le fait, et ses œuvres feront souvent l'objet d'expositions en solo. Mais là encore, c'est ne rejoindre qu'un public limité, c'est pratiquer un art réservé à une élite, accessible à quelques-uns seulement. La démarche de l'artisan se veut plus populaire, plus sociale.

Et cet engouement des Québécois pour les pièces de conception artisanale est loin d'être le fait d'une mode banale, passagère. Bien au contraire, la création de l'artisan a du caractère, et c'est ce caractère que les gens recherchent de plus en plus. Car la création de l'artisan possède cette *couleur* locale à laquelle le public d'ici peut facilement s'identifier. Et puis, à la finesse peu subtile, à la froide perfection et plus encore à la symétrie des pièces de fabrication industrielle, les gens préfèrent le sceau personnel de l'être qui fabrique l'objet selon ce qu'il est, ce qu'il exige, ce qu'il aime.

Même si la technique en soi constitue un aspect qui est loin d'être négligeable, et bien que l'on doive également tenir compte de la somme des heures passées à la réalisation proprement dite de l'œuvre, ce qui importe d'abord, c'est le résultat final. La pièce ne verra le jour que si elle satisfait totalement aux critères de l'artisan.

Ici, chaque détail revêt une importance capitale: la courbe d'une anse, le bec d'une cafetière, le galbe d'une lampe, il faut que tout soit harmonieux à l'œil, que les formes s'épousent agréablement.

Quelques lignes tracées sur le papier, de longues années d'une pratique patiente du métier et il y aura, par-delà le reflet du métal, toute la vie d'un atelier, là-bas, sur une petite île de Val-David, dans les Laurentides, au Québec.

Car l'artisan n'a pas de maître plus exigeant que lui-même. Ses heures ne sont pas comptées; les journées se poursuivent longuement et les soirées consacrées au travail sont fréquentes. L'homme de l'industrie est au repos alors que l'artisan ne s'arrête qu'à la fin du jour.

Les débuts

Arrivé au Canada en 1951, Bernard Chaudron, Lillois de naissance, délaissera peu à peu la profession d'agronome spécialisé en industrie laitière pour s'adonner au métier d'artisan du métal.

Chaudron porte en lui l'héritage d'un milieu où l'on est sensible aux arts et aux sciences. Dans sa famille en effet, on est métallurgiste, chimiste, architecte ou céramiste. Éveillé très tôt à la peinture et à la sculpture grâce à de fréquentes visites familiales dans les musées, il est bientôt attiré par les émaux anciens; leur beauté sereine et quasi-éternelle le fascine.

C'est alors que commence une exploration systématique qui le mènera à la découverte des métaux, de l'émail champlevé et de la *coulée à cire perdue.* Il remontera le cours des ans pour retrouver, au XXe siècle, ces sciences connues depuis des millénaires. Et la fonderie l'entraînera bien vite vers d'autres centres d'intérêt: la joaillerie, l'émaillerie, l'orfèvrerie, la poterie d'étain et de cuivre.

C'est dans un appartement du boulevard Saint-Joseph, à Montréal, qu'il commence à couler ses premières pièces de bronze, à *cire perdue,* faisant ainsi des débuts timides dans une technique difficile et qui n'est pas sans danger.

De la ville à la campagne

La vie de citadin imposant trop de contraintes pour lui permettre de poursuivre ses expérimentations, il s'installe, dès 1960, à Val-David, dans les Laurentides, où il aménage un atelier. Il ne l'admettra pas volontiers, mais ce choix de Val-David a quelque chose à voir avec son penchant très marqué pour la pêche et pour la chasse. Heureusement d'ailleurs, car il aura à s'en servir pour tenir bon les premières années...

En 1961 il épouse Louise Lippé, géographe de profession. Elle possède déjà une formation en dessin et en peinture, et c'est à elle que Bernard confie ses travaux d'émaillage: pendentifs, broches, bagues et... murales.

Installés, à partir de 1965, dans une vieille maison construite «en bois rond», ils la restaurent petit à petit. Il faudra refaire les installations électriques et le système d'adduction de l'eau. C'est au sous-sol, qu'il a fallu creuser, que l'atelier est aménagé.

La même année voit naître le premier fils des Chaudron; ils n'en ont pas dormi de trois mois! La maison s'aménage, s'égaie et se remplit de marmots: il y en aura encore trois autres...

Les enfants sont présents partout dans la maison. Comme leurs parents, ils bricolent; les murs se tapissent de dessins et de constructions diverses, et les Chaudron verront leur salle de séjour se transformer tantôt en école, tantôt en gare de triage ou en théâtre.

À l'intérieur de la maison, le bois est intact, naturel, et chacun y trouve sa place et les choses qu'il aime.

Partout des livres, des instruments de musique, des pièces artisanales diverses et des meubles de bois fabriqués par les copains, objets choisis dont les Chaudron s'entourent et qui répondent à leurs goûts.

L'homme, son cheminement, ses implications dans le milieu

Pendant les premières années, Bernard Chaudron se familiarise avec les métaux qu'il utilise en bijouterie: l'or, l'argent et le bronze.

Déjà, en 1961, il remporte le premier prix de l'Association professionnelle des Artisans du Québec, décerné à l'occasion du Salon de l'Artisanat.

En 1963 il effectue un voyage en France afin de mieux connaître les diverses techniques de fonderie, particulièrement la *coulée à cire perdue*. Car la vie de l'artisan est aussi constituée d'explorations, de recherches continuelles, d'innombrables démarches devant lui permettre de perfectionner, d'approfondir sans cesse ses techniques.

Boursier du ministère des Affaires culturelles en 1965 et du Conseil des Arts du Canada en 1966, il participe à des expositions de groupe au Canada, en France, et à des expositions en solo au Québec, en Ontario, au Nouveau-Brunswick et à Terre-Neuve.

Nous sommes à la veille des années '70. C'est l'époque où le public s'éveille à l'objet «fait main». Des pièces de grande envergure voient le jour: miroirs de bronze et d'aluminium, vases, murales, sculptures... Et la clientèle est variée: conception d'une murale pour la Bibliothèque de Prêts de l'Outaouais, de deux ou trois tabernacles destinés à diverses chapelles, etc. Une exposition, tenue à la Guilde des Artisans en 1969, connaît un succès retentissant.

Devenu trop étroit, l'atelier doit prendre de l'expansion. En 1970, Bernard décide d'en bâtir un sur l'île, de l'autre côté du village, dans un boisé où il élève déjà des abeilles... Dorénavant il y aura suffisamment d'espace pour travailler les métaux, et pour s'adonner à bien d'autres occupations non moins importantes! En effet, en même temps qu'il conçoit et réalise des bijoux ou des vases d'étain, Bernard Chaudron s'adonne à l'élevage des lapins, des cailles, des faisans et... des poules. Le tout destiné à la consommation exclusive des gourmets de sa famille. D'ailleurs lui-même n'avoue-t-il pas son penchant pour la bonne chère? Car ici l'artisan se double d'un cuisinier qui n'hésite pas à revêtir le tablier de rigueur pour mijoter de délicieux petits plats! Une couveuse occupe un coin de l'atelier, où il veut faire éclore des œufs de faisanes. Mais la petite île compte bien d'autres possibilités de délices, à partir du jardin, des abeilles, etc....

Regrouper les artisans

Le profane a souvent tendance à voir l'artisanat comme une espèce de chasse-gardée, un passe-temps paradisiaque dont les adeptes planent bien au-dessus des lois du marché et des autres contraintes sociales.

La réalité est toute autre, car l'artisan professionnel fait face à une vive concurrence. Celle de l'industrie entre autres qui peut reproduire, à des coûts souvent très minimes, des objets s'apparentant aux produits d'artisanat; sans compter l'importation de produits d'artisanat européens.

À l'objet de fabrication industrielle, le créateur oppose un produit d'une conception personnalisée, originale, *artisanale;* et pour mieux être en mesure de faire face à la prolifération de pièces artisanales importées, les artisans d'ici se regroupent afin d'assurer la promotion et la mise en marché de leur production.

Co-fondateur, avec Marcel Juneau, Yves et Micheline de Passillé-Sylvestre, Véronique Arsenault, Édith Martin, Marc-André et Gaétan Beaudin, Jacques et Pierre Garnier, Pierre Legault, Lucien Desmarais, Leo Gervais et plusieurs autres, de Tournesol Métiers d'Art en 1964, et de Métiers d'Art du Québec en 1970, Bernard Chaudron se dépense sans compter à l'organisation du Salon des Métiers d'Art, de 1970 à 1980. Avec d'autres artisans, il participe, comme exposant, aux débuts difficiles qui ont lieu à la station de métro Berri-Demontigny. Une année au Palais du Commerce, puis ce sera la Place Bonaventure... Que de soucis, que d'acharnement, et quelle récompense aussi que cette réponse enthousiaste du public! Désormais les artisans auront pignon sur rue, une fois l'an, en décembre.

Chaudron croit à l'efficacité d'une association si celle-ci naît spontanément d'un besoin. Mais une association n'est pas une institution selon lui, et elle doit disparaître lorsque son objectif est atteint. Et si l'absence de contrôles laisse finalement à l'individu la discrétion d'authentifier la qualité de son produit, il existe chez les artisans une forme d'éthique qui, même tacite, n'assurera la survie qu'à celui qui fait preuve d'intégrité. Il ne faut pas que les contrôles tuent la création.

L'artisan en train
de marteler

L'artisan au travail

L'ATELIER
BERNARD CHAUDRON

Bijoux, médailles, trophées, coupes ou assiettes d'étain, lampes, théières, pichets, objets à la fois utiles et décoratifs, sculptures, murales, pièces uniques pour le seul plaisir des formes, tout cela anime l'atelier Bernard Chaudron.

Niché entre un bois d'épinettes et la petite rivière du Nord, dans un cadre agréable et tranquille, l'atelier est clair, gai, aéré. Mais lorsqu'on y entre le soir, dans la pénombre qui prête aux objets une allure de repos, on imagine mille gestes ébauchés, figés, comme sur une pellicule indiscrète. Là, le marteau reposant à côté d'un poêlon de cuivre qui commence à prendre forme. Ailleurs une esquisse, partout des outils, du métal, marquant chaque coin d'une étape de travail.

D'abord la fonderie, impressionnante par son outil- lage: fours, fournaises, creusets de divers calibres; c'est l'antre du «maître de feu» où l'or, l'étain et le bronze sont transformés en liquides brûlants avec leurs alliages, prêts pour la mise en forme.

Puis il y a le coin où, souvent très tôt le matin, se concrétisent les idées; le coin dessin, conception, création.

Dans une autre pièce, plus spacieuse, on effectue le martelage du métal; c'est l'endroit où l'astuce et la patience feront de la feuille d'étain ou de cuivre une coupe, une assiette, un pichet à vin; l'endroit où résonnera un bruit sec, inlassable, marquant la chair métallique de myriades d'empreintes qui en rappelleront le labeur. C'est là également que les pièces sont polies, nettoyées.

Plus loin, de grands laminoirs, des tours à métal ou à cire, des tables de soudure, etc.

À l'étage supérieur, c'est d'abord l'administration: chiffres, correspondance, factures, univers fastidieux auquel pourtant ne peut se soustraire l'artisan et dont les murs dégagent tout l'ennui.

Jouxtant le bureau: l'endroit où les pièces terminées séjournent avant le départ. Certaines d'entre elles figureront dans une exposition, ou au Salon des Métiers d'Art, à moins qu'elles n'aient été sélectionnées pour répondre à une demande particulière, ou qu'elles soient destinées à une collection importante.

Bernard Chaudron ne peut parler de l'atelier sans y inclure tous ceux qui, avec lui, y ont activement collaboré, lui insufflant cette vie, cette énergie constante et sans cesse renouvelée. Pierre Lemieux entre autres, artisan de grand talent, bien connu dans le domaine de la bijouterie artisanale, qui revient à l'occasion donner un coup de main à l'atelier. Et puis Agnès Rorich, qui vole elle aussi de ses propres ailes. Parmi les «fidèles» de plusieurs années, il conviendrait notamment de mentionner Réjean Désormeaux et Laurent Lefebvre. Et tous ceux, mais ici la liste serait trop longue, qui ont passé à l'atelier quelques jours ou quelques mois.

Sans oublier François Chaudron, le frère de Bernard, un architecte qui travaille à la conception des pièces et qui s'adonne à la sculpture; il compte à son actif de magnifiques pièces uniques exposées au Salon des Métiers d'Art.

Et Louise enfin, spécialiste d'une technique d'émaillage du bronze dont la mise au point est le résultat de plusieurs années de recherches et de patientes expérimentations. En plus de s'occuper de l'émaillage des bijoux, du montage ainsi que de diverses opérations, elle réalise une production autonome d'émaux sur cuivre qu'elle expose, depuis plusieurs années, au Salon des Métiers d'Art.

Sans l'apport de tous ces gens, l'atelier serait différent. Et si le voyage en solitaire lui apparaît parfois plus facile, Bernard Chaudron ne voit pas comment, aujourd'hui, il pourrait renoncer à tout ce que ces collaborateurs représentent.

La coupe du métal

Le laminage

La soudure

La fonderie

Le martelage

Travail au banc
de bijoutier

Les poinçons utilisés par l'atelier Bernard Chaudron

 Chaudron, marque de commerce déposée à Ottawa.

10K
14K
18K
Poinçons des titres de l'or (utilisés sur les bijoux en or).

STERLING Poinçon utilisé pour les bijoux, médailles, ou objets en argent sterling.

CHAUDRON Poinçon indiquant que l'objet provient de l'atelier Bernard Chaudron.

 Poinçons utilisés essentiellement sur la poterie d'étain.

 Poinçon d'utilisation générale, pour l'identification de l'atelier et sur la poterie de cuivre.

LA FONDERIE,
UN ART MILLÉNAIRE

L'attrait du métal a depuis toujours fasciné l'homme. Loin dans les profondeurs des temps, il aura réussi à l'apprivoiser, à le travailler pour en tirer des objets répondant à ses besoins. Depuis les temps lointains où l'on se servait de lances et de flèches pour la chasse ou pour la guerre, l'homme a appris à contraindre les métaux par le feu, en les fondant et en les forgeant.

Plus tard, beaucoup plus tard apparaissent les objets d'art, les ustensiles, les bijoux et les outils. Petit à petit, les métaux deviennent indispensables à l'homme qui les a dominés et, petit à petit, ils deviennent partie intégrante de sa vie.

Nous vivons à l'ère industrielle, et il n'est donc pas étonnant de voir des artisans renouer avec les techniques anciennes de la fonderie et du martelage des métaux. En y ajoutant les possibilités nouvelles que permet un outillage moderne, l'artisan d'aujourd'hui est en mesure de réaliser des objets fonctionnels et décoratifs qui rappellent la beauté et la simplicité de forme des objets anciens, sans toutefois en comporter les inconvénients. Aujourd'hui par exemple, les alliages n'ont plus de secrets, on les contrôle mieux et les métaux d'appoint n'en sont que plus variés.

Tandis que l'or et l'argent sont consacrés à la bijouterie et à la joaillerie, l'étain, le cuivre et le laiton sont
surtout destinés à la dinanderie, cet art de la fabrication
des poteries de métal que l'on destine à la table ou à la
décoration.

Les métaux, leurs propriétés

L'or

Pur, il est de 24 carats. Le nombre de carats indique la
proportion de l'or contenu dans un alliage. Si la proportion
est moindre, l'or sera de 18, de 14 ou de 10 carats. Divers
métaux peuvent être alliés à l'or; généralement ce sont le
nickel, le cuivre, le palladium, le zinc et l'argent.

Métal jaune à reflets verts, l'or n'est que très rarement
employé pur; il deviendra, suivant le métal d'appoint qui
complète l'alliage, jaune, jaune clair, rouge, vert, rose ou
blanc.

Son point de fusion est de 1 064° C.

L'or a toujours été utilisé comme monnaie d'échange;
actuellement sa valeur fluctue suivant les aléas des valeurs
boursières et des événements mondiaux.

On peut le laminer à l'épaisseur d'une feuille de papier
à cigarette; alors on l'utilise sous forme de paillons dans les
émaux ou bien en dorure.

L'or possède en outre deux qualités essentielles qui le
font rechercher en bijouterie: il est inaltérable à l'air et
extrêmement malléable. En bijouterie, il peut être coulé
(à cire perdue) ou travaillé à partir de lingots, de feuilles, de
tiges ou de fils.

L'argent

Après l'or, c'est le plus malléable des métaux. L'argent est aussi le meilleur conducteur de chaleur et d'électricité. Autre qualité appréciable: pur, il ne s'oxyde pas à l'air ambiant.

Le plus blanc de tous les métaux, il peut, par polissage, acquérir un très bel éclat, dû à son grand pouvoir réfléchissant.

La température de fusion de l'argent est de 960° C.

Les alliages d'argent habituellement utilisés en bijouterie sont composés de 925 parties d'argent fin pour 75 parties de cuivre; c'est ce dernier qui donne à l'alliage sa dureté. On l'appelle souvent argent *sterling*. L'argent peut également être coulé ou travaillé à partir de feuilles ou de fils.

Le bronze

Métal noble, particulièrement adapté à la coulée, le bronze est un alliage de cuivre et d'étain.

Il offre des propriétés intermédiaires entre le fer et le cuivre. La proportion d'étain peut varier de 3 à 35%, suivant le type d'alliage recherché. On peut y ajouter, dans de faibles proportions, du plomb et du zinc.

Il existe aussi d'autres types de bronze aux compositions bien différentes; ils font l'objet d'applications particulières.

D'une couleur brun-jaune, le bronze est souvent rehaussé de patines verte, brun foncé, noire.

Le laiton

Alliage de cuivre et de zinc (5 à 40%), le laiton, suivant la proportion de zinc qu'il contient, varie du rouge au blanc, en passant par le jaune doré.

Le cuivre

Métal rouge si on l'utilise pur, il se présente surtout sous la forme de feuilles. Le cuivre pur ne se coule à peu près pas.

Très riche par sa couleur et sa simplicité d'emploi, il est très malléable. Malheureusement il s'oxyde facilement à la chaleur et, pour le nettoyer, on doit alors recourir à l'acide.

Relativement bon marché et facile à trouver, il s'émaille très bien; on en fait alors des bijoux, des plaques murales ou des assiettes.

Sa température de fusion est de 1 083° C.

L'étain

L'étain est un métal très malléable qui se soude très bien, c'est-à-dire qu'il possède la propriété de fondre sur lui-même et de se souder sans l'apport d'un autre métal.

Il offre une résistance satisfaisante à l'écrasement et se martelle très bien. Pur, il s'avère trop mou pour être utilisé.

Un étain de bonne qualité contient 2 à 6% d'antimoine et jusqu'à 2% de cuivre. Un alliage qui contient du plomb peut-être toxique. Les étains de qualité médiocre peuvent contenir jusqu'à 50% d'autres métaux: cuivre, cadmium, antimoine, bismuth, etc.

La température de fusion de l'étain est de 232° C.

La coulée à cire perdue

Le fondeur, autrefois appelé «maître de feu», apparaissait un peu comme un personnage mystérieux qui pratiquait un métier apparenté aux sciences occultes. On en avait fait une espèce de sorcier obscur, pactisant avec le diable et obsédé par une idée: fabriquer de l'or.

Les techniques de fonderie en usage alors n'ont pas tellement changé, quoique l'outillage se soit perfectionné et que les alliages soient de nos jours soigneusement sélectionnés et dosés.

Car depuis les âges les plus reculés, la fonderie des métaux a survécu contre vents et marées. Des chefs-d'œuvre anciens nous sont parvenus, aussi beaux et aussi intacts, aussi fascinants qu'à l'époque de leur réalisation. On s'étonne de nos jours de la précision, de la perfection dans le détail de certaines pièces anciennes de bijouterie et d'ornementation. C'est à cette technique particulière de fonderie que l'on nomme la *coulée à cire perdue* que nous devons ces chefs-d'œuvre.

La technique

L'objet à réaliser est d'abord exécuté dans un matériau qui disparaîtra en le chauffant à une température de 1 300° F environ. Ce matériau peut être une cire (il en existe une grande variété: molle, dure, souple, malléable, synthétique ou naturelle), un textile, un polystyrène ou autre.

Une fois la pièce réalisée, on la munira de *chemins de coulée* la reliant à un réservoir; le tout en cire. On enrobe ensuite l'ensemble d'un plâtre réfractaire qu'on laisse durcir. Ce moule en plâtre séjournera au four plusieurs heures, permettant ainsi l'évaporation de l'eau contenue dans le plâtre, la fonte de la cire et son élimination du moule par les *chemins de coulée.* Il ne restera alors dans le moule, à la sortie du four, qu'une cavité représentant l'empreinte exacte de la pièce que l'on veut couler en métal.

L'opération suivante consiste à fondre le métal dans un creuset placé dans une fournaise chauffée au gaz ou au charbon. Lorsque le métal est suffisamment chaud et dûment écumé, on le coule dans le réservoir du moule; si le moule est très gros, le réservoir sera d'autant plus important et la pression du métal dans ce réservoir sera suffisante pour que le métal en fusion s'insinue, par les *chemins de coulée,* jusqu'à la pièce principale. Si la pièce à couler est au contraire très petite et très délicate, on peut alors employer la force centrifuge qui forcera le métal à pénétrer dans les moindres cavités du moule.

Une fois le métal refroidi, on brise le moule, on enlève le plâtre et on en extrait la pièce. Bien exécutée, cette technique permet une précision extrêmement rigoureuse, même sur des pièces très complexes et délicates.

Presque tous les métaux peuvent être coulés suivant ce procédé. De plus, cette technique se prête autant à la fabrication de bijoux minuscules qu'à celle de plus grande envergure, qu'il s'agisse de vases, de statues, voire de sculptures pouvant atteindre un poids de plusieurs tonnes. Quelle que soit la dimension ou la complexité des pièces à réaliser, la *coulée à cire perdue* assure des résultats toujours d'une précision remarquable, pourvu que tout soit fait selon les règles de l'art.

On peut fondre les métaux comme l'or, l'argent et l'étain, soit à partir de lingots purs — et alors on effectue l'alliage au moment de la fonte —, soit à partir d'alliages déjà composés disponibles auprès de compagnies spécialisées.

Un autre procédé de fonderie: la coulée au sable. Moins précise, on l'utilise habituellement dans l'industrie pour la conception de pièces requérant moins de précision, ou produites en grandes quantités.

LA DINANDERIE

L'étain

Dès le Moyen Âge, on a utilisé l'étain dans la fabrication de vaisselle et de divers ustensiles destinés à la table. Et bien avant l'avènement de la faïence, pichets et gobelets, écuelles, fourchettes et cuillères nous étaient familiers. Le produit n'est donc pas nouveau, quoiqu'il ait été quelque peu oublié chez nous.

Depuis quelques années il revit, et l'*Étain de Val-David* a largement contribué à cette renaissance. À l'atelier de l'Île sont conçues des pièces diverses: pots à bière, verres à pied, gobelets, assiettes, vases, lampes, etc. Toutes sont façonnées selon la manière dite du martelage et de l'emboutissage. Et toutes portent le poinçon «Étain fin de Val-David» garantissant leur qualité.

La technique

Par un laminage patient entre de puissants rouleaux d'acier, l'artisan obtient une feuille d'étain dans laquelle il découpe, selon la forme voulue et préalablement dessinée, les divers éléments qui composeront la pièce à réaliser. Soudés entre eux, ces éléments donneront une ébauche que l'on martellera soigneusement, sur une forme appropriée, pour lui donner cette allure et ce galbe caractéristiques des étains de Chaudron.

Une fois la forme obtenue, elle sera polie. Les anses, poignées et autres ajouts, coulés dans un moule permanent, sont soudés à la pièce maîtresse. Ainsi, une cafetière ou une théière peut comprendre une dizaine de morceaux. Un dernier polissage, un bon nettoyage et voilà l'œuvre achevée. Ne pas oublier le poinçon!

L'étain sera de bonne qualité, suivant la proportion des métaux ajoutés à l'alliage. Il n'y a pas, au Canada, de réglementation obligeant le fabricant à révéler les proportions de l'alliage comme on le fait pour l'or ou l'argent. Tout au plus la réglementation interdit-elle les alliages au plomb pour toute pièce destinée à la table.

Pour l'œil averti, c'est la couleur du métal qui permettra d'évaluer la qualité d'une pièce. Ainsi, une poterie d'étain contenant 94% d'étain, comme c'est le cas à l'Atelier, présente un reflet différent de l'acier inoxydable; moins brillant, satiné, plus chaleureux.

Le cuivre et le laiton

La fabrication de la poterie de cuivre ou de laiton utilise sensiblement les mêmes procédés que pour l'étain. On se procure cependant le métal en feuilles, en tubes ou en tiges. Certaines parties des pièces à réaliser sont embouties, tandis que d'autres sont montées par éléments martelés.

L'assemblage se fait par brassage, c'est-à-dire qu'un métal, généralement une soudure à l'argent ou à l'étain, sert de joint entre les différentes parties.

Le cuivre et le laiton sont des métaux aux tons riches; ils créent une jolie tache de couleur dans un intérieur, et s'adaptent bien à n'importe quel décor.

L'ARTISAN ET SON OEUVRE

Poisson en étain réalisé par
François Chaudron

Plat d'émail de
Louise Chaudron

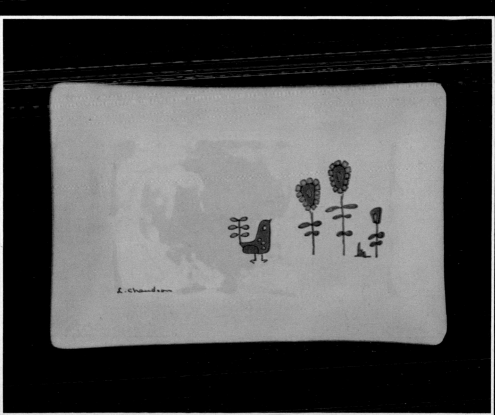

Vase d'étain réalisé par
François Chaudron

Plat d'étain réalisé par
François et
Bernard Chaudron

Bijou en or 18k,
turquoise et diamant

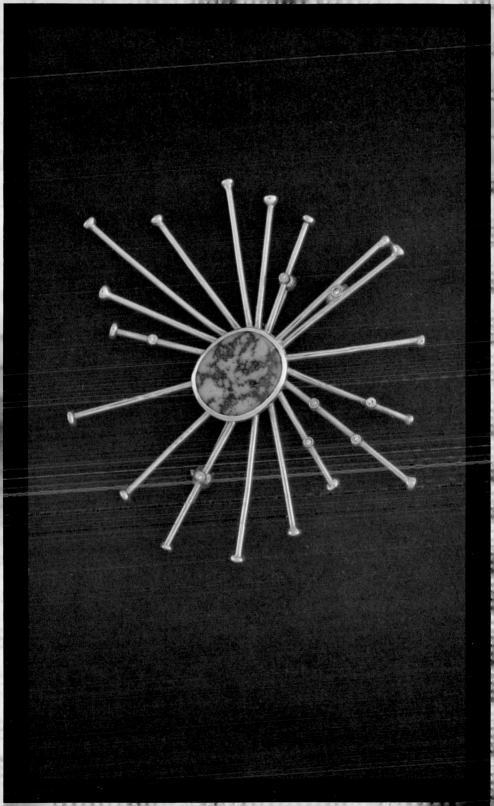

Sculpture murale de
bronze

Fontaine murale en étain

Coq de laiton

Bagues en or

Diverses médailles
réalisées en atelier

Assiette d'émail de
Louise Chaudron

Alliances en or

Bol à fruits en étain

Pendentifs de bronze

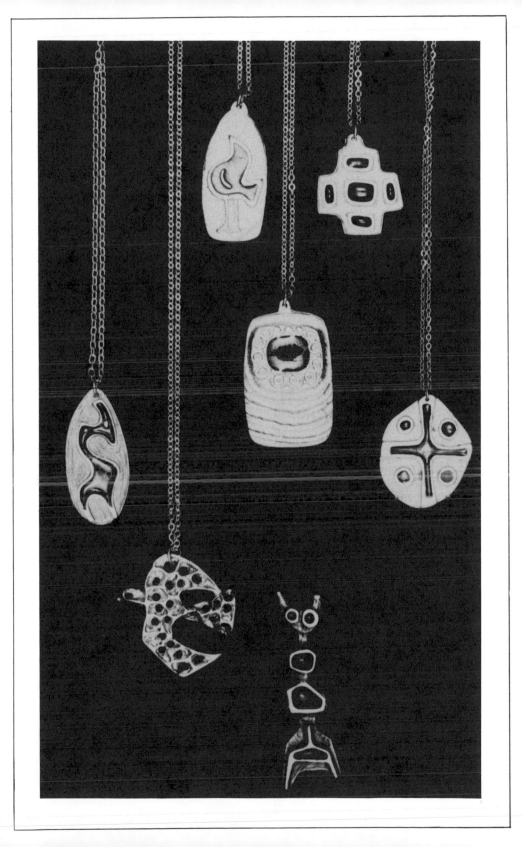

Pichet, verres et vase
à fleurs en étain

Verseuse en laiton

Coq en étain de
François Chaudron

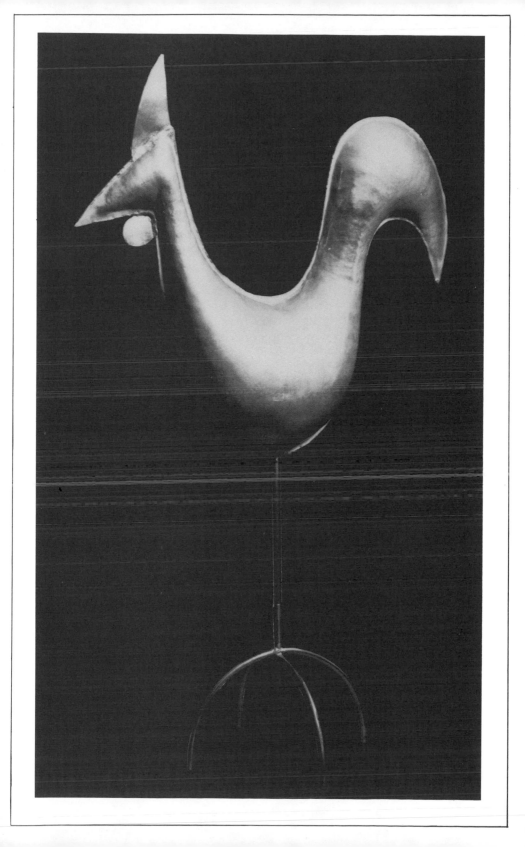

Cinq bijoux d'argent

Deux lampes en étain

Croix pectorale
en argent

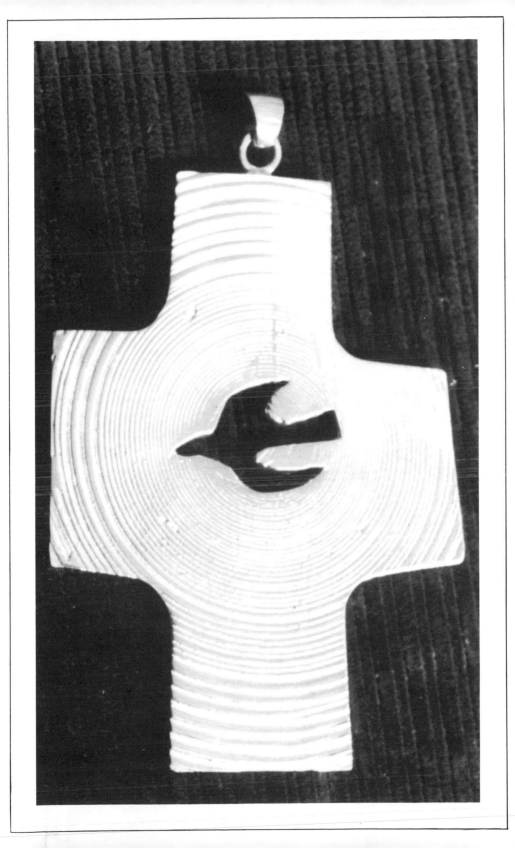

Réalisations artistiques et activités professionnelles

Principales réalisations

— Plaque commémorative, Fédération des Bibliothèques de l'Outaouais, Hull.

— Tabernacle pour l'église Saint-Claude, Saint-Boniface, Alberta.

— Fonts Baptismaux et tabernacle pour l'Archevêché de Saint-Boniface, Alberta.

— Tabernacle pour les Sœurs Grises de Montréal.

— Crosse de Monseigneur Gayot, Haïti.

— Tabernacle de bronze pour l'Archevêché de Port-au-Prince, Haïti.

— Médaille, mérite annuel des diplômés de l'Université de Montréal.

— Médaille, Prix Marie Victorin.

— Médaille de l'Ordre des Francophones d'Amérique.

— Festival Mondial du Film, Montréal, 1978, médaille, meilleur acteur/meilleure actrice.

— Coproduction avec P. Ouvrard, relieur.

Prix

1961 Salon de l'Artisanat: Premier prix de l'Association Professionnelle des Artisans du Québec (APAQ).

1962 Salon de l'Artisanat: prix de l'APAQ.

1963 Salon de l'Artisanat: mention en bijouterie (APAQ). Canadian National Exhibition: mention pour une murale.

1965 Pièce sélectionnée aux concours artistiques de Québec.

1967 Pièce sélectionnée au Musée des Pères de la Confédération, Halifax.

1968 Canadian National Exhibition: mention honorable.

1978 Concours du Ministère des Affaires culturelles pour les médailles des prix décernés par le Québec.

Collections

— Collection Washington, 1962.
— Musée des Pères de la Confédération, Charlottetown, 1967.
— Collection permanente de la Centrale d'Artisanat du Québec, 1962, 1963, 1964.
— Collection de l'exposition itinérante de la Galerie Nationale, 1965.
— Galerie Nationale, Ottawa, 1967.

Expositions particulières

1962 Institut d'art du Saguenay.

1966 Canadian Handicraft Guild, Montréal et Toronto.

1968 La Pléiade, Montréal: «Technique de Fonderie d'Art».
La Guilde des Artisans, Montéal.

1969 Centre culturel de Jonquière, Québec.
Galerie du Gobelet, Montréal.

1970 Galerie d'art de Saint-Jean, Terre-Neuve.
Centre culturel de Jonquière, Québec.
Galerie du Centre culturel de Moncton, N.-B.

1976 Galerie Vagabonde, Trois-Rivières, Québec.

1977 Galerie l'Apogée, Saint-Sauveur, Québec.

1980 Galerie Plaisir des Yeux, Montréal.

Expositions de groupe

1961 à 1965
Salon de l'Artisanat, Montréal.

1962-63
Stratford Shakespearian Festival, Stratford, Ontario.

1962-63-68
Canadian National Exhibition, Toronto.

1962 Canadian Handicraft Guild, Montréal.

1963 «Arts et Métiers du Canada», Canadian Handicraft Guild, Montréal.

1964 Exposition d'un groupe d'artisans canadiens à Tours (France).

1965 Galerie nationale du Canada, exposition itinérante de la collection.

1965-67
Concours artistiques de la province de Québec.

1966 Tournesol Métiers d'Art, Montréal.
Université de Sherbrooke, Québec.
Centre culturel de Trois-Rivières, Québec.

1967 Pavillon du Canada, Galerie d'art Expo '67, «Bijoutiers du Québec».
Canadian Handicraft Guild, Toronto.
«Métiers d'art du Québec», Moncton, Nouveau-Brunswick.

1968 Canadian National Exhibition, Bijoutier du Québec.
Pavillon du Canada, Hémisphère 68, San Antonio, Texas, U.S.A.

1968 à 1978
Salon des Métiers d'art du Québec, Montréal.

1969 Galerie internationale des artisans, Tournesol Métiers d'art, Montréal.
Exposition itinérante dans les Maritimes organisée par la Faculté des Arts de l'Université de Moncton.

1970 Pavillon des Arts, Terre des Hommes, Montréal.

1971-72
Galerie Nova et Vetera, Montréal.

1972 Centre culturel de Trois-Rivières, Québec.
Pavillon du Québec, Terre des Hommes, Montréal.

1973 Pavillon Saint-Arnaud, Trois-Rivières, Québec.

1974-75-76
Salon des Métiers d'Art, Québec.

1976-77-78
«Marché des Artisans», Les Créateurs Associés de Val-David.

1980 Galerie G. Corbeil, Montréal.

Table des matières

CHEZ LE MÊME ÉDITEUR

collection « L'ARTISAN ET SON ŒUVRE »

— JACQUELINE DUPLESSIS, BATIK

— CLAUDE THIBODEAU, CERFS-VOLANTS

collection « LOISIRS »

— L'IKÉBANA ET L'ÉCOLE TAKEYA
  (technique japonaise d'arrangement floral)
  de MICHELLE RÉMILLARD-DESJARDINS

— LE CINÉMA, UN MONDE POUR TOUS de PIERRE CHAPLEAU

SERVICE GRATUIT
D'INFORMATIONS

SI VOUS DÉSIREZ ÊTRE INFORMÉ DES PUBLICATIONS DE L'ÉDITEUR DE CET OUVRAGE, IL VOUS SUFFIT DE NOUS ADRESSER UNE CARTE POSTALE MENTIONNANT VOS NOM, ADRESSE ET CODE POSTAL

à: SOCIÉTÉ D'ÉDITION ET DE PRESSE
   MESSIER & PERRON
   201 Bellerive
   St-Eustache   J7R 2T1

Vous recevrez régulièrement, et sans engagement de votre part, nos avis de nouveautés que vous trouverez chez votre libraire.

101

Achevé d'imprimer
en septembre mil neuf cent quatre-vingt
sur les presses
de l'imprimerie Ray Litho Inc. — Ville St-Laurent
Imprimé au Canada